W9-CCM-947

La maison d'Émilie

La maison d'Émilie

Texte de Niko Scharer
Illustrations de Joanne Fitzgerald

Adapté de l'anglais par Marie-Andrée Clermont

Scholastic Canada Ltd.,
123, Newkirk Road, Richmond Hill (Ontario) L4C 3G5

Données de catalogage avant publication (Canada)

Scharer, Niko, 1965-
[Emily's house. Français]

La maison d'Émilie
Traduction de Emily's house.

ISBN 0-590-73950-6

I. Fitzgerald, Joanne, 1956- . II. Clermont,Marie-Andrée. III. Titre. IV. Titre: Emily's house, Français.

PS8587.C43E514 1991 jC813'.54 C91-093519-X
PZ23.S34Ma 1991

ISBN 0-590-73950-6

Titre original : Emily's House

Édition publiée par Scholastic Canada Ltd., 123, Newkirk Road, Richmond Hill (Ontario) Canada L4C 3G5 avec la permission de Douglas & McIntyre Ltd.

Conception graphique de Michael Solomon

4321 Imprimé à Hong-Kong 234/9

À Meg

N.S.

À ma famille et à mes amis

J.F.

Elle est pourtant jolie, la maison d'Émilie
Avec sa vieille porte et sa brune souris.
Pourquoi donc Émilie fronce-t-elle le sourcil?
C'est qu'elle a, voyez-vous, deux très graves soucis :
La vieille porte grince et la p'tite souris crie!
Voilà pourquoi son oeil larmoie!
Et Émilie, tout en émoi,
S'écrie : «Y a trop de bruit chez moi!»

«Oh, là là! gémit-elle, allez savoir quoi faire!»
«Je l'ai, dit la souris, un chat ferait l'affaire!»

De son chapeau coiffée, Émilie, affairée,
Court au pré et revient avec un chat tigré.
Mais une fois rentrée, elle est désespérée :
La vieille porte grince et la p'tite souris crie!
Le chat fait «MI-A-OU», avec effronterie.
Voilà pourquoi son oeil larmoie!
Et Émilie, tout en émoi,
S'écrie : «Y a trop de bruit chez moi!»

«Oh, là là! gémit-elle, allez savoir quoi faire!»
«Je l'ai, dit la souris, un chien ferait l'affaire!»

Émilie part au loin et lorsqu'elle revient,
Elle ramène en laisse un mignon petit chien.
Mais une fois rentrée, tout va de mal en pis :
La vieille porte grince et la p'tite souris crie!
Le chat fait «MI-A-OU»,
Le chien fait «WOU-HOU-HOU».
Voilà pourquoi son oeil larmoie!
Et Émilie, tout en émoi,
S'écrie : «Y a trop de bruit chez moi!»

«Oh, là là! gémit-elle, allez savoir quoi faire!»
«Je l'ai, dit la souris, un mouton f'rait l'affaire!»

Le coeur tout plein d'espoir, Émilie s'en va voir
Et déniche bientôt un petit mouton noir.
Mais une fois rentrée, quelle tracasserie!
La vieille porte grince et la p'tite souris crie!
Le chat fait «MI-A-OU»,
Le chien fait «WOU-HOU-HOU»,
Le mouton fait «BÊ-Ê,
Ma maman, où elle est?»
Voilà pourquoi son oeil larmoie!
Et Émilie, tout en émoi,
S'écrie : «Y a trop de bruit chez moi!»

«Oh, là là! gémit-elle, allez savoir quoi faire!»
«Je l'ai, dit la souris, un biquet f'rait l'affaire!»

Émilie disparaît alors dans les bosquets
Et finit par trouver un aimable biquet.
Mais une fois rentrée, quelle cacophonie!
La vieille porte grince et la p'tite souris crie!
Le chat fait «MI-A-OU»,
Le chien fait «WOU-HOU-HOU»,
Le mouton fait «BÊ-Ê»,
Le biquet fait «MÊ-Ê».
Voilà pourquoi son oeil larmoie!
Et Émilie, tout en émoi,
S'écrie : «Y a trop de bruit chez moi!»

«Oh, là là! gémit-elle, allez savoir quoi faire!»
«Je l'ai, dit la souris, une vache ferait l'affaire!»

«Mais oui, dit Émilie, je sais où elle se cache!»
Elle rentre bientôt en tirant une vache.
Mais de retour chez elle, ah, quelle symphonie!
La vieille porte grince et la p'tite souris crie!
Le chat fait «MI-A-OU»,
Le chien fait «WOU-HOU-HOU»,
Le mouton fait «BÊ-Ê»,
Le biquet fait «MÊ-Ê»,
La vache fait «MOU-MOU,
Ma prairie, elle est où?»
Voilà pourquoi son oeil larmoie!
Et Émilie, tout en émoi,
S'écrie : «Y a trop de bruit chez moi!»

«C'est assez, trop c'est trop, j'n'en peux plus!» grogne-t-elle.
«Je l'ai, dit la souris, cherche une tourterelle!»

Repartant de plus belle, Émilie, avec zèle,
Trouve en un rien de temps la triste tourterelle.
Mais de retour chez elle, oh, quel charivari!
La vieille porte grince et la p'tite souris crie!
Le chat fait «MI-A-OU»,
Le chien fait «WOU-HOU-HOU»,
Le mouton fait «BÊ-Ê»,
Le biquet fait «MÊ-Ê»,
La vache fait «MOU-MOU»,
L'oiseau se plaint «ROU-ROU».
Voilà pourquoi son oeil larmoie!
Et Émilie, tout en émoi,
Rugit : «Y A TROP DE BRUIT CHEZ MOI!»

«Eh bien là, ça suffit! Faut régler la question!»
«D'accord, dit la souris, je l'ai, la solution!»

Et la souris ressort les animaux dehors,
Le chat, le chien, la vache, et les autres encore.
Dans sa maison de brique, Émilie tend l'oreille...
Et soudain, étonnée, Émilie s'émerveille!
La vieille porte grince et la p'tite souris crie!
Mais, comblée de bonheur, la fillette sourit.

Car tout ce qu'elle entend dans sa maison jolie,
C'est un p'tit grincement et un cri de souris!